印刻
印刻书院

写给孩子的成语故事

# 成语动物园 1

牛顿编辑团队 著/绘

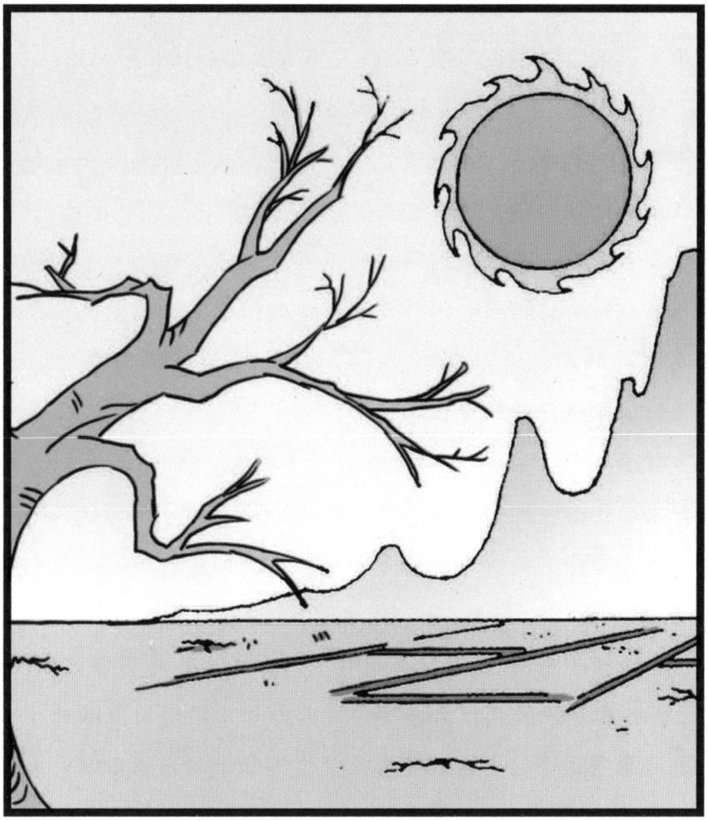

哈尔滨出版社
HARBIN PUBLISHING HOUSE

# 编序

话，为什么要这样说？

小侄儿很认真地读着一本《成语故事》，突然抬起头来，溜动着黑眼珠，疑惑地问我："为什么要说'三人成虎'而不说'三人成猫'呢？"我被问得怔住了。孩子们总喜欢问些小问题，小得大人们都已习以为常，认为它不成问题。别说我不曾去想小侄儿所问的这个问题，就是"画蛇添足""鹦鹉学舌""鹤立鸡群"等成语，为什么要这样说而不那样说，我也不曾想过呀！仔细想想，我们每天都在说却不知道为什么要这样说的话，实在太多了。

语言不只是人与人之间沟通的工具，它根本就是一个人思维的表现。不相信？那么你看：思维混乱不清的人，便语无伦次；思维僵化而没有创意的人，便人云亦云；而对这世界常有新鲜感觉与想法的人，讲的话便往往新鲜得让人惊奇！

当孩子们常常问这句话为什么要那样说、那句话为什么要这样说，就表示他不满足于只知道世界是"这样"而不知"为什么要这样"。对他来说，每个"为什么"都不是小问题啊！您能启发他找到满意的答案吗？

当您的孩子也问："为什么要说'三人成虎'而不说'三人成猫'呢？"您能启发他找到什么答案？看着小侄儿溜动的黑眼珠，我也必须认真地想想这个问题，还有其他说了半辈子却始终不明白为什么要这样说的成语！

"小牛顿"有一群年轻人很想替孩子们解开这些疑问。他们选择了两类成语，用非常有趣的漫画，引导孩子去想想看：为什么要说“三人成虎”而不说“三人成猫”？为什么“望梅”能够“止渴”？……

第一类成语，他们叫它“成语动物园”。把中国成语所写到的动物养在一块儿，真的可以成立一座动物园哩！狮子呀、老虎呀、蛇呀、鹦鹉呀、鹤呀、鸡呀……人们讲起话来，满嘴巴的动物，这是为什么？简单地说，是为了“比喻”，用“动物的特性”来比喻“人情”。您想想看，骂一个人只会跟着别人说同样的话，拿“鹦鹉学舌”来做比喻，真的再生动不过了。

但是，孩子们或许更想知道为什么特别拿鹦鹉来做比喻；当然是因为鹦鹉具有“学舌”的特性。“小牛顿”的构想是：除了用漫画表现一则成语产生的经过及意义，还要建立“动物小档案”，记载动物的特性，并告诉孩子们为什么要拿这个动物来做比喻。

第二类成语，“小牛顿”叫它“成语中的科学”。为什么“望梅”能够“止渴”？为什么“种瓜”只能“得瓜”？这类成语，也多是因物理以见人情的比喻。但是，除了它的比喻意义，其中描写的物理现象，是不是也可以用科学知识去解释呢？

看漫画，学成语，再想点儿科学道理：这个构想真的很不错呀！他们告诉我，很希望让这套漫画书兼具趣味性、知识性与思考性。我相信他们会尽力做好。以后，小侄儿再问我这类问题，就可以带他到这套书中去找答案了。

颜昆阳

# 目录

# 猫哭耗子

注释：耗子，老鼠。

用法：比喻没有真情意，却装作很慈悲的样子。

咔!
好痛!

好一点儿了没？
谢谢你们来看我。
嘿嘿!
你来做什么？
哇！你受伤了，
我好难过！

终于可以出去走走了。
那天谢谢你来看我。
不客气啦。
我误会你了，你真好心。
没关系，应该的。
嘿！等一下。
你现在不能跑了吧！
是啊，只能慢慢走。
你要干什么？
吃你呀！
猫终于露出了狰狞的本来面目……
你真是猫哭耗子——假慈悲呀！

猫天性爱捕食老鼠，但老鼠的警觉性非常高，所以猫想抓老鼠，往往得费上一番功夫。假如猫看见受伤而无法快跑的老鼠，高兴都来不及，怎么可能会同情它呢？所以，猫哭耗子根本就是假慈悲嘛！假如，一个平常与你相处不太融洽的人，突然在你失意的时候来安慰你，你可以怀疑他是『猫哭耗子』。

# 猫鼠同眠

用法：本来是比喻当主管的人没有尽到自己的职责，而让那些心怀不轨的人有机可乘。现在用来比喻上下勾结、狼狈为奸的情形。

唐高宗时，在洛州一带……
奇怪？那不是猫和老鼠吗？它们怎么会……

唉！这不是好现象啊！
月色朦胧，正是下手的好机会。
嘻……
嘻……
这家人真倒霉，又被小偷光顾了。
别动！你们被捕了！

大爷，这是一点儿小意思，请笑纳。
慢走啊！你们辛苦了。
下次再送您更大、更好吃的。
从此洛州成了小偷和老鼠的天下。

一般老鼠多喜欢在阴暗的水沟里生活，在脏乱的垃圾堆里找食物，而且白天躲藏，夜晚才出来活动。而小偷也总是在晚上做些见不得人的事，这正和老鼠的习性相同。至于专捉老鼠的猫，就像警察一样，叫老鼠胆战心惊。假如有一天，猫竟然和老鼠亲密地睡在一起，那不就是表示执法的警察与违法的小偷勾结了吗？

# 三脚猫

用法：比喻技艺不精通的人。

明朝，南京一座道观……
神乐观

道观里住着一只猫。它捉老鼠的本领高强。
是它来了，快逃！
喵喵喵
紧急会议！因为最近又有几个同伴被抓……
会议到此结束，我想猫再也抓不到我们了！

没想到，会议刚结束，又有两只老鼠被抓。
哇！好饱啊！
喵
ZZZ
这个小姑娘，最崇拜那位捕鼠英雄。
喵
喵……好漂亮的小姐，过去瞧瞧！
原来是只三脚猫！只会跳，不会走。

一般哺乳动物是四条腿，少一条腿时，会行动不便。可是，为什么这则成语要选『猫』呢？因为猫在所有四条腿的动物中，不论爬高、跳跃、追赶，甚至躲藏，技术都是一流的。所以，猫一旦缺条腿，一切动作便会显得特别笨拙。

## 动物小档案

● 猫属于哺乳纲 · 食肉目 · 猫科。

● 瞳孔能随着光线的强弱而很快地缩小、放大。

● 嘴旁的长须触觉敏锐，可探测距离和方向。

●休息时胡须合拢，走路时则张开。

平时　　休息时　　走路时

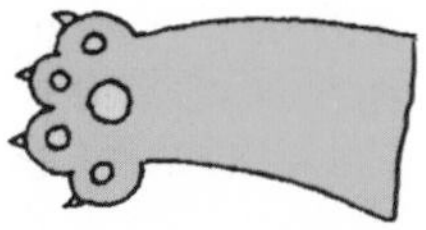

大而厚的肉垫

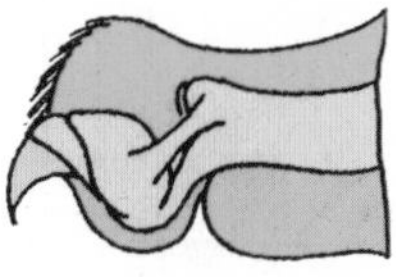

爪子伸出肉垫外

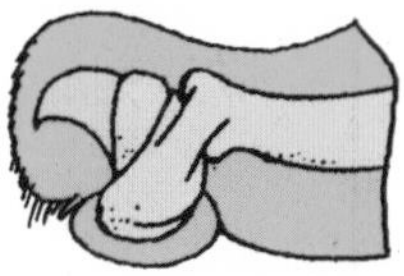

爪子缩进肉垫里

● 脚底有大而厚的肉垫，走起路来不发出一点儿声音，同时，从高处跳下着地时，有缓冲的作用，不容易受伤。猫爪平常不用的时候都缩进肉垫里，所以保持得非常锐利。爪子长得太长时，猫会在木头上磨爪。

● 舌头上长有又细又密的倒钩，能把骨头上的小肉刮光，也能当梳子梳理全身的毛。

●门齿细小，犬齿则强大尖锐，山字形的臼齿用来撕裂肉块。吃东西的方法是吞而不是咀嚼。

● 大小便后，会用爪子拨土来掩埋。

● 生气或紧张害怕的时候，会拱起背脊，竖起全身的毛。

● 捉老鼠是猫的专长。
猫捉老鼠的过程非常有意思。

①耳朵往后贴，两只眼睛眨也不眨地紧盯着老鼠，尾巴很有韵律地小幅度不停摆动。

● 耳朵可以转动，捕捉各方的声音。耳内的细毛能感觉极小的声波振动。

● 善于爬高、跳跃，但很怕水。

②把身体压得低低的，轻手轻脚地向前走去。

③像要把老鼠钉住似的，狠狠瞪着老鼠。用力摇动尾巴，同时后腿全力往后挺，身体迅速向前扑去。

④伸出前爪，紧紧抓住老鼠并且往下压，免得被老鼠挣脱。

● 非常爱干净，每天都要用舌头清洁全身好几次。而且有一定的步骤。

①先把嘴巴四周舔干净。

②接着清洁下巴和头部。

③然后整理胸前。

④最后是脚、背和身体其他各部位。

暹罗猫

波斯猫

日本猫

# 为虎作伥

注释：伥，传说中人被老虎咬死以后，所变成的鬼魂。

用法：比喻帮助敌人或坏人做害人的事。

啦……
春天真好……

吼……
救命哪！

我是被老虎吃掉以后变成的伥鬼。

伥鬼带着老虎，到处去找猎物。

注意，这里有陷阱。
啊！那是什么？
虎爷，快来，我替你找到食物了。
啊
把衣服脱掉！
可恶呀！你竟然为虎作伥。

民间传说，人被老虎咬死后会变成伥鬼。这么说，伥应该非常痛恨老虎啰！可是不然，民间又传说，伥专门帮助老虎避开陷阱，找活人给老虎吃。伥，不就和帮助坏人做坏事的人一样，令人痛恨吗？

**动物小档案**

- 老虎属于哺乳纲·食肉目·猫科。
- 身上有明显的条纹。
- 老虎不像其他猫科动物那样怕水，它很会游泳。天气热的时候，怕热的老虎常会溜到水里去凉快。

# 势成骑虎

注释：势，情势。

用法：形容一个人所处的情势，到了进退两难的地步。就好像骑在老虎背上，上也不是，下也不是。

有一天，斯文的二郎和勇猛的王大相约上山去郊游。

走着走着，忽然看见一只老虎在喝水。

看我去杀了那只老虎!

王大，不要，太危险了!

悄悄地……哇！好大的老虎呀！
用力一跳，跳得真准，姿势美极了。
小心，老虎要过肩摔了！
妈呀！太可怕了！我要下去！
呀！会摔死的。
这下子，真的变成“势成骑虎”了。

虎和狮子都是凶猛的动物，但是老虎奔跑、跳跃的能力比狮子强，又多单独行动，而且不像狮子总是白天休息，晚上才出来活动。所以，人们白天能遇到单独行动的老虎，以至于发生人虎相斗的可能性比较高。同时，虎皮软滑，不容易坐稳，要跳下来又怕摔伤或被咬，这种情势，真是上下两难啊！

# 三人成虎

注释：三个人都说有老虎，即使没有老虎，听的人也会相信有。

用法：比喻毫无根据的事，只要说的人一多，也会让人信以为真。

战国时代，魏国的庞葱要陪魏惠王的太子到赵国去当人质，临走前……
魏

大王，假如有一个人说街上有老虎，您相信吗？
哈！当然不相信。

如果有两个人说呢？
嗯……不太相信。

如果三个人说呢？

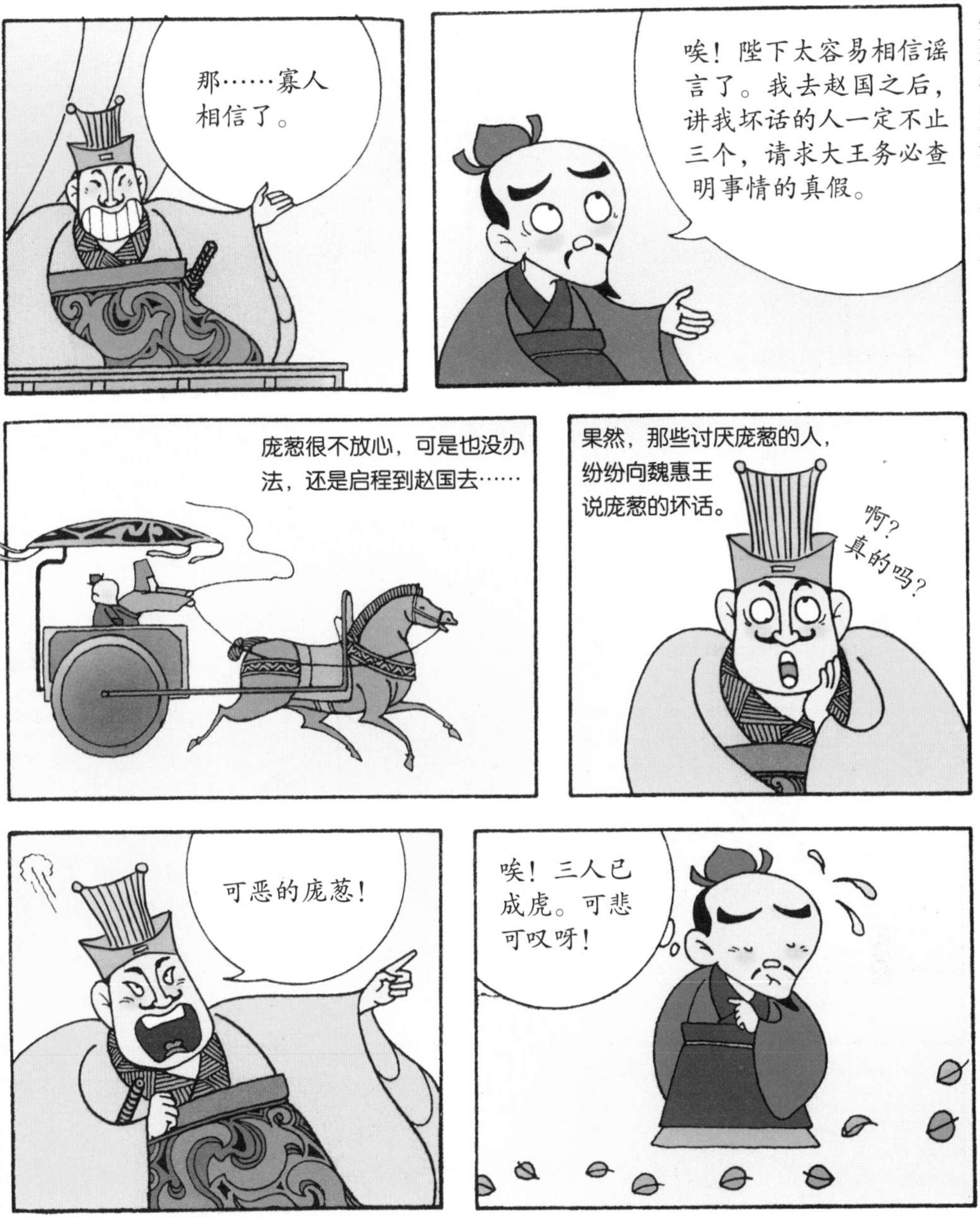

那……寡人相信了。
唉！陛下太容易相信谣言了。我去赵国之后，讲我坏话的人一定不止三个，请求大王务必查明事情的真假。
庞葱很不放心，可是也没办法，还是启程到赵国去……
果然，那些讨厌庞葱的人，纷纷向魏惠王说庞葱的坏话。
啊？真的吗？
可恶的庞葱！
唉！三人已成虎。可悲可叹呀！


**动物小档案**

● 肩宽和头宽差不多，遇到比头稍大的洞，全身就能钻过去。

● 圆脸，两眼向前，看距离很准。

● 前肢下腭的部分，有点儿向内弯。

● 后肢的膝盖和脚后跟，转折特别大，所以跳起来又高又远。

为什么这则成语不用『三人成狗』或『三人成猫』呢？因为狗、猫是平日常见且不足为惧的小动物。而虎就不同了，它凶猛，往往代表着危险、残暴。不过，它是深山里的野兽，平时不太可能到人类居住的地方来。所以，有人说街上出现老虎，根本就是传谣言。同时，散布谣言的人，必定把他所要诽谤的对象，说得像老虎一样凶恶，使人听了感到害怕、生气。由于老虎有以上的特性，于是便成为这则成语的『最佳兽选』了。

# 笑面虎

用法：原意是指性情温和的人生起气来，也会做出暴力的行为。现在则多用来比喻外表温和、面带笑容，而内心凶恶的人。

大富翁王公衮，每天都笑眯眯的。即使是……

大爷对不起，石头打到您了。
没关系，下次要注意哟。


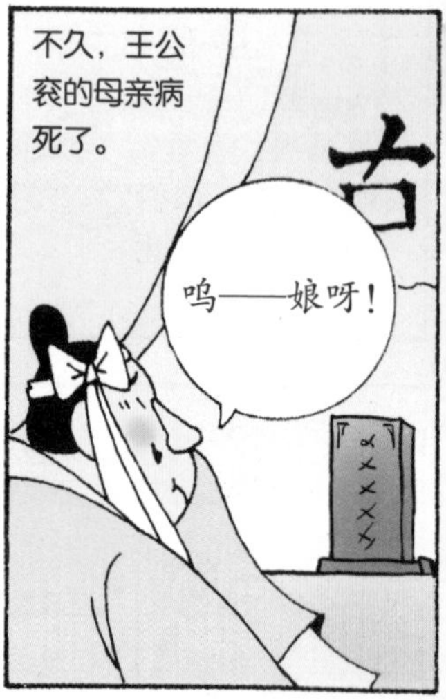

不久，王公衮的母亲病死了。
呜——娘呀！

王公衮把母亲葬在会稽西山，还陪葬了好多财宝。
嘻！晚上来挖财宝。

老虎这种大型的肉食性野兽，为了填饱肚子，所使用的方法，就是以残暴的手段击杀草食性动物。而这种残暴，就是它的本性。老虎或许可以驯养，但是，一不小心触怒了它，它就会兽性大发，后果便不堪设想。而本性凶狠的人又何尝不是这样呢？

笑面王公衮，一生气，变成杀人虎了。

## 动物小档案

● 老虎的嗅觉很差，听觉却很好。

● 下巴和头骨之间的肌肉非常发达，能一口咬碎牛腿骨。

● 猎食的步骤是：发现猎物时，先在一旁静静偷看，然后慢慢走近，时机一到，就用力跳出去，扑到猎物身上，狠狠咬住对方的咽喉，并扭断对方的脖子。整个捕杀过程只需要几十秒的时间。

# 虎落平阳被犬欺

注释：平阳，平地。

用法：比喻有势力的人一旦失势，大家都欺负他。就好像山中之王老虎，一旦沦落到平地，连狗都会欺负它一样。

山中有只虎大王。
吼……

野兽见了它，都吓得赶快逃跑。

这天，虎大王来到了平地……
过去看看，有什么好吃的？

哇！好多鸡。

老虎原是生存于深山、荒原的动物，它所熟悉的是野地猎食的生存方式，同时，它天生对人类有畏惧感。因此，老虎一旦跑到人们聚居的平地，立刻会变得胆小、恐惧，只要几只小狗突然对它猛吠，就足以把它吓得夹着尾巴逃走了。我们说的『强龙不压地头蛇』，也有这种意味。因为地方上的小混混们比外地来的大英雄在『地利』上占了很大的优势。

嘎
汪
它们怎么都不怕我呢？
吼
汪
汪
汪
呜
汪
还是快逃吧！

## 动物小档案

- 老虎不会爬树。
- 有占领地盘的习性，把小便撒在想占有的领域四周，别的野兽就不敢侵入了。
- 天生对人类有畏惧感，除非因饥饿、受伤或受到侵犯，它才会主动攻击人类。

# 坐山观虎斗

注释：观，看。

用法：比喻冷眼旁观，看人争斗还想借此机会捡便宜的意思。

战国时代，有一位勇士名叫卞庄子，力大无穷……

这一天，卞庄子和朋友在山上发现两只老虎，正为争吃一头牛而吵架。
咦？

看我去杀了那两只老虎！
等一下。

别急嘛！先看看情形再做打算。

于是，卞庄子坐在山头上，看两只老虎决斗。
吼
一只老虎被咬死了。
呼！累死了！
哀哉！
这时候，卞庄子跳下山来，很轻易地一刀插下，就把另一只老虎杀死了。

老虎不但凶猛，而且力大，以一人之力与一虎搏斗，胜算已然不大；若一人要与二虎搏斗，那根本是必死无疑。最好的办法，就是让实力相当的两虎互斗，等到分出胜负时，两虎定然非死即伤。所以，当两方恶霸在争斗时，千万别插手，最好等他们争斗结束，再视情况决定该采取哪一种行动。

## 动物小档案

● 老虎通常在黄昏时开始狩猎，而且大都是单独行动。

● 后脚弹性很好，跳得高，可把猎物从树上一掌打下来。

● 由于丛林的开发，猎物日渐减少，再加上人类的滥杀，老虎的数量正迅速地减少。

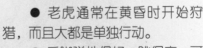

# 河东狮吼

用法：形容凶悍的妻子大发雷霆。

宋朝人陈季常，娶了河东姓柳的女子为妻。

有一天，陈季常请三个朋友到家里来喝酒。
喝呀!
哈!
酒

大家喝得一时兴起，便请了两个歌伎来跳舞助兴。

狮子是猫科动物里最雄壮有力的一种，尤其是公狮，有『万兽之王』之称。而狮子的吼声之大，更是其他野兽所远不能及的。当它放声大吼时，洪亮威武的声音足以震动草原，把动物们吓得不敢动弹。因此，用狮吼形容女子的泼辣、令人不敢领教，真是再恰当不过了。

可恶！竟敢如此嚣张。
砰
三十六计走为上策。
决不饶你!

## 动物小档案

● 狮子被人称为“万兽之王”。它真的没有敌人吗？狮子在草原上，几乎是所向无敌的，但幼狮常会受到土狼或鬣狗的攻击。至于狮子最大的敌人，则是手拿猎枪的人类。

● 雄狮颈间长了浓密的鬃毛，只是装饰而已吗？雄狮为了保护自己和家人，有时必须跟别的雄狮战斗，鬃毛可以保护其颈部，避免其受到严重的伤害。当然，漂亮的鬃毛也可以使雄狮看起来更为雄壮。

母狮

## 动物小档案

● 狮子属于哺乳纲 · 食肉目 · 猫科。

● 雄狮颈间有鬃毛，雌狮没有，小雄狮三岁开始长鬃毛。

● 初生的幼狮，身上有斑纹，眼睛看不到东西。

幼狮

公狮

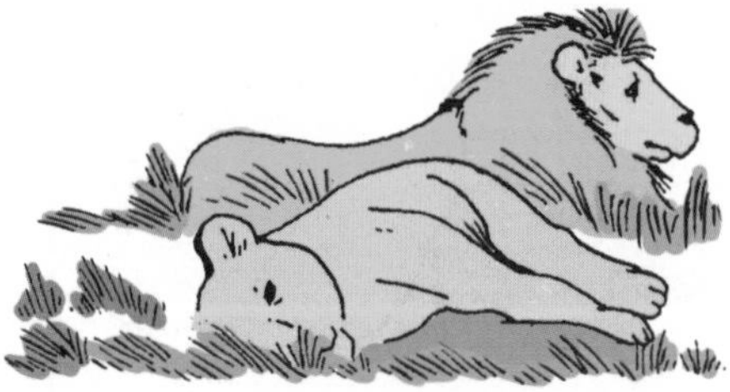

● 由一头雄狮带着一头或数头雌狮，以及它们所生的小狮，可以组成一个有四至十头狮的狮群，过有组织的群居生活。此外，也有二十至四十头狮的大狮群，其中雄狮约有一至四头，其余的是雌狮和小狮。

● 狮群平均每天用将近二十个小时的时间休息，晚上才出来活动。

● 常集体围捕猎物，狩猎是雌狮的工作，但当捉到猎物时，却往往是雄狮第一个吃。

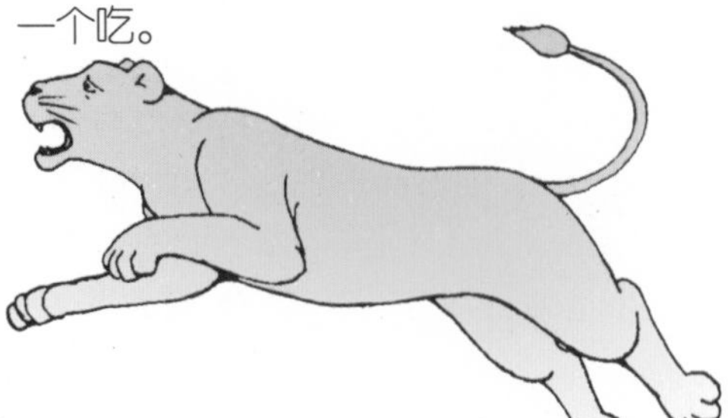

# 狐假虎威

注释：假，凭借、依靠。

用法：比喻一个人靠着别人的权势到处欺负人。

大部分的犬科动物都是以追赶的方式来猎食，只有狐常以计谋捕食。因此，在寓言故事中多被当作阴险、狡猾的代表。但是，对狐来说，计谋只不过是它求生存的方法而已。所以，当狐被老虎捉住时，立刻用它聪明的脑子，想出一条『假虎威』的逃脱之计。

呀！虎兄，请等一下。
哈！终于找到食物了。

狡猾的狐灵机一动……
我是上天派来管理百兽的百兽之王。
?
?
不相信的话，可以跟在我后面看看。
?

野兽们一看到老虎，吓得四处逃窜。笨老虎还以为它们是怕狐呢！
真的啊！
救命哪！
快逃！

# 狐死首丘

注释：首丘，面向着狐穴的土丘。传说狐将死时，头必朝向它出生的山丘。

用法：有两种意思——①比喻不忘本。②比喻暮年思念故乡。

山林里住着一只狐，每天快乐地在山间奔跑。

糟了！
是猎人的网。

狐被猎人抓去卖给镇上的大富翁。
真漂亮！

睡醒了？
吃点儿葡萄吧！

尽量吃。
好吃！
好吃！

转眼间，狐在富翁家已经过了十几年。
狐又老又病。
好想山上的家啊！
它偷偷地跑出富翁家。
无论如何，我都要赶回山林。
它又虚弱又疲累，还是拼命跑……
狐伏在山丘上，咽下了最后一口气。
呼——终于回到从前的地方了！


狐是生活在山林里的动物，古代传说狐如果死在外面，一定会把头朝向它的洞穴。这种特性和中国人『落叶归根』的想法很相近。其实，不止狐有『死首丘』的特性，很多山林动物也都有。这则成语用『狐』，只是选其中的一种作为代表而已。

**动物小档案**

- 狐属于哺乳纲 · 食肉目 · 犬科。
- 口鼻尖而突出，体形细长，尾巴粗大。
- 瞳孔呈现椭圆形，眼睛明亮灵活。在阳光下，瞳孔像针般细小。
- 听觉和嗅觉特别发达，行动敏捷而机警。
- 秋天喜吃水果。没有冬眠期。
- 耳朵是竖直的三角形，没有耳朵下垂的狐。

# 城狐社鼠

注释：狐在城墙上打了一个洞住在里面，老鼠在土地庙里打了个洞也住在里面。

用法：比喻依仗别人的势力胡作非为的坏人或一时难以驱除的小人。

从前有座城，一群狐在这里挖城墙、做洞穴。
这里真是个好地方！

晚上，跑到城外的农家偷鸡。

城里的庙，是老鼠的天堂。
天天有供品吃，真不赖呢！

可恶的狐！
老鼠太过分了！

有人提议——
挖城脚，捣坏狐的穴。

不行，会把城墙挖倒的。
也有人提议——
放火把老鼠烧死。
不行，庙会被烧光的。
大家你看看我，我看看你，都想不出好办法。
可恨！
可恶呀！

狐是少数住在洞里的肉食动物之一，很会挖洞。而庙里经常有各种各样的供品，正是老鼠的天堂。狡猾的狐与卑鄙的鼠都是令人讨厌的动物，尤其老鼠吃供品对神大不敬，更叫人无法忍受。所以用这种情形比喻令人气愤却又对他无可奈何的恶人，非常生动。

## 动物小档案

● 狐捕捉猎物时，会咬住自己的尾巴一直转圈圈。等猎物好奇地跑上前去看时，它立刻扑上去抓住猎物。

● 遇到敌人时，肛门旁边的腺体会放出恶臭的气味，然后趁机逃走。不小心被捕获时，经常装死，然后伺机逃走。

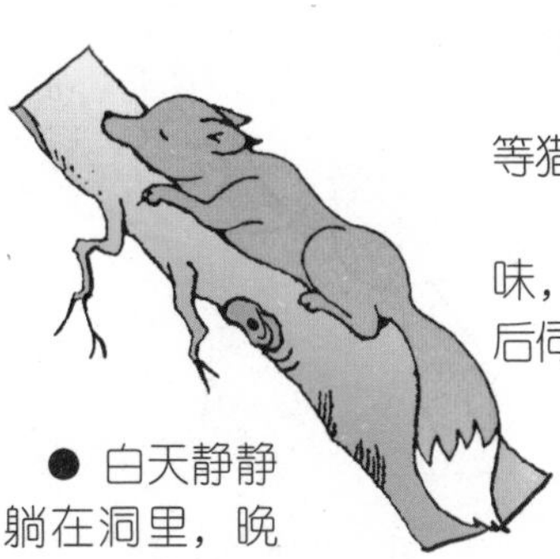

● 白天静静地躺在洞里，晚上才出来捕食。也会在树上睡觉。

# 与狐谋皮

注释：谋，商量。

用法：比喻彼此之间的利害关系有了冲突，根本无法合作。

寒冬里，有个穷人
坐在家里冷得发抖。

他想：假如有
狐皮，一定能
卖很多钱……

于是，他忍着寒冻，
到山里去找狐。

狐兄，可怜可怜我，
请把你们漂亮的皮
毛给我好吗？
吓

狐的皮毛非常名贵，可做大衣、帽子、围巾等，价格很高。所以，才会有人异想天开，要向狐借皮。可是，狡猾的狐怎么可能借呢？

**动物小档案**

赤狐

● 赤狐是狐里体形最大的一种。大约分布于东亚、欧洲大陆以及北美洲。

● 头部和背部为红棕色，腹部是白色，脚则为黑色。

银狐

● 银狐多分布在加拿大及西伯利亚。

● 毛其实是黑的，只不过毛尖为白色，有银色的光泽。

● 北极狐栖息在北极圈，嘴巴和耳朵比其他狐小，这是为了防止体温散发。

● 夏天时，毛为棕黑色，到了冬天，便褪换成纯白色。

北极狐

# 兔死狗烹

注释：烹，煮，可引申为杀的意思。

用法：比喻为统治者效劳的人事成后被抛弃或杀掉。

春秋时代，越王勾践被吴王夫差打败了。

于是，勾践卧薪尝胆，时刻不忘亡国之痛，力图复兴。

上将军范蠡为越王练兵。大夫文种则策划了七种伐吴的计谋。
越
越

十年之后，勾践大举反攻。
越

在姑苏一战，终于大败夫差。
可恨呀！当初就该杀死勾践。

勾践复国之后，范蠡立刻辞官，乘小船而去。走后，范蠡写了一封信给文种。
信上说：勾践的脖子很长，嘴巴像鸟嘴一样尖，这种长相的人，只可共患难，不可共享乐……
而我们就像他的猎狗，帮他捉狡猾的兔子……
等到兔子捉到，他不再需要狗，便会把兔子和狗一齐杀了。
文种看了信，心中害怕，就假装生病不上朝。
果然，勾践便借机诬指他有叛乱的嫌疑，赐剑自刎。
你那七种伐吴计谋，只用了三种，剩下的到地下去试吧！
哇！

狗是对人类最忠实的动物，猎狗更在主人打猎时，用它灵敏的鼻子追踪猎物，使主人狩猎成功。然而，猎物既已到手，猎狗似乎已无利用的价值，主人便把它和猎物一齐杀了！啊！这个主人还真阴狠呢！

# 蜀犬吠日

注释：蜀，四川省。日，太阳。

用法：比喻少见多怪。

四川盆地四周被高山、高原包围，其中，东边的巫山山脉较低。
大巴山脉
四川盆地
云贵高原


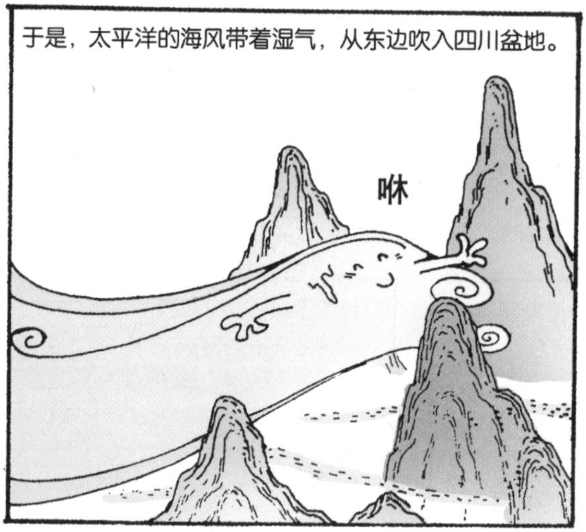

于是，太平洋的海风带着湿气，从东边吹入四川盆地。
咻

然而，这些湿气被其他三面较高的山脉、高原挡住了，无法消散。
碰

所以，四川盆地常年多云、多雾，把太阳都遮住了。
盆地里的这只小狗从来没见过太阳。


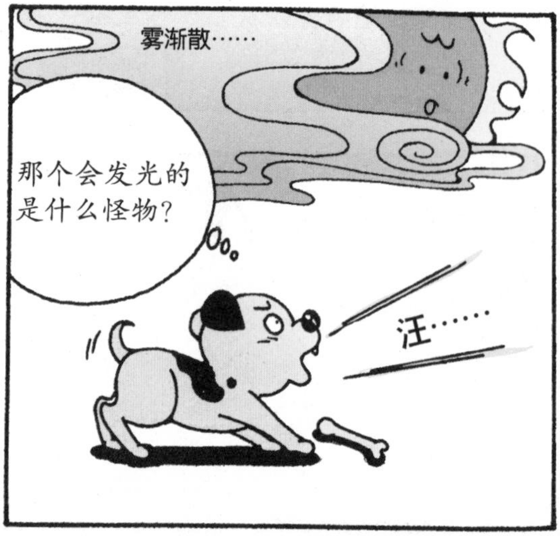

雾渐散……
那个会发光的是什么怪物？
汪……

## 动物小档案

● 狗属于哺乳纲·食肉目·犬科。

● 犬科动物共同的特征是口鼻突出。

● 舌头又长又薄，表面平滑。汗腺长在舌头上，所以夏天天气热时，必须张嘴呼出热气，借此排汗以散发体内的热量。

● 天生会游泳。游泳的时候，只把口、鼻和眼睛伸出水面来。

● 睡觉的时候，总是在睡觉的地方先绕几圈，然后才卷起身体睡下。

● 每走一段路，就找个地方（例如树干、一朵小花，或一块石头等地方）撒泡尿，作为认路的指示，或是向其他的狗表示，那里是它的地盘，不可以随便闯入。

「狗看见日出，居然吠个不停」，这似乎有点儿夸张。但是在四川省（古时候的蜀国），由于地理环境特殊，常年雾气迷蒙，很难见到太阳。一旦雾散日出，以狗的好奇心，吠个不停是极有可能的。这真是「少见多怪」的妙喻。

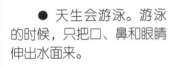

# 一犬吠形 百犬吠声

注释：吠，狗叫。

用法：形容人对事情不经过考虑或没有查明真相，就随便附和别人的说法。

啊！抓抓痒好舒服呢！

那是什么？
让我瞧瞧！
好臭啊！
可恶！
汪！

在乡下，养狗是为了看家，防止陌生人闯入，这是因为狗的警觉性非常高。此外，狗爱叫，有任何一点儿风吹草动便叫个不停，可提醒人们注意情况。不过常常有一种情形——东家的狗因为看见一只猫而叫，西家、南家、北家的狗不知道发生什么事，也本能地跟着大叫。这种盲目的附和，就不是什么好事了。

发生什么事了？
汪！

汪汪
它在叫什么？
不知道，
跟着一起叫吧！

汪
汪汪
！
汪

**动物小档案**

● 狗的听觉非常敏锐，可在 12 米外听到手表指针走动的声音，还可听到超声波。嗅觉的灵敏度则比人高 50 倍以上。但视力并不是很好。

● 会把吃剩的食物，挖个洞埋藏起来，留着以后吃。

● 鼻头无毛的部分是黏膜组织，会不停地分泌黏液滋润嗅觉细胞，使嗅觉保持高度灵敏。所以，狗鼻子总是湿湿的。

# 桀犬吠尧

注释：桀，夏朝最后一个帝王，性情残暴。尧，五帝之一，是古代有名的贤能君主。

用法：比喻奴才只知道一心为他的主子效劳，而不分贤愚善恶。

张大善是地方上有名的大善人。铺路、造桥，还经常施粥给穷苦人家。
张
布施

张大善真是难得的好人！
是呀，我很尊敬他。

刘麻子则是镇上人见人怕的恶霸。

刘麻子带着他的恶犬，整天在街上游荡，不但吃喝不给钱，而且稍不顺心就打人。
啪！
哇！

有一天，
在街口……
刘公子，早呀！
早什么？大虎，
过去咬他。
我奉命行事。
狗奴才，
不可以咬
大善人。
咻——

虽然，狗是人类最忠实的朋友，但是，狗并不懂得分辨是非善恶，只要养它的人说什么，它就做什么。假如暴虐的夏桀叫他的狗去咬善良的尧，狗真的立刻就会扑过去，这是狗的奴性。用狗的这种奴性来骂那些不辨是非、任人使唤的人，非常贴切。

## 动物小档案

● 猎狗有门齿、犬齿和臼齿。犬齿锐利，臼齿坚硬，可以撕肉、咬骨头。同时，胃的消化力也很强。

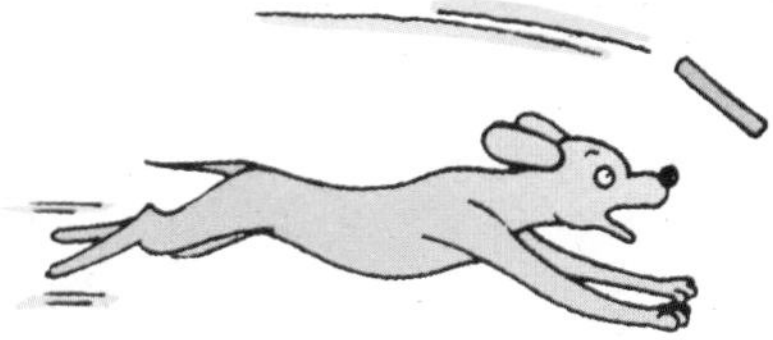

● 嗅觉比一般的狗更敏锐，它们可以循着空气中的气味，找到猎物的踪迹；或者嗅地面动物的脚印找寻猎物。当猎狗找到猎物时，有些狗会蹲在猎物旁，等主人来拿；有些则会把猎物叼回去，交给主人。有一种叫“㹴”的小型猎狗，喜欢用脚刨开猎物居住的洞穴，然后迅速敏捷地捉住猎物，非常聪明可爱。

# 守株待兔

注释：株，树根。

用法：有两个意思——①比喻遇到事情时不知变通。②比喻不努力工作，却想享受成果。

从前，宋国有个农夫……
种田真快乐！

呀!

哇！好肥的兔子。

今天不种田，再到树下等等看。

一般野生动物，大都在深山丛林里生活，野兔也不例外。不过，平地草原也很适合兔子居住。所以这个农夫在郊外田里劳作时，才会捡到兔子。但行动灵巧的兔子撞树这种事，毕竟太少了，也许几年都等不到一次呢！而这个农夫意图再不劳而获，未免也太痴心妄想了吧！

一个月过去了。
两个月过去了。
三个月过去了，田里的草长得又高又密。
村民们都在嘲笑他。
哈哈
哇！兔子为什么不来？
农夫哭丧着脸回家了。

## 动物小档案

- 兔子属于哺乳纲 · 兔形目 · 兔科。
- 有四颗上门牙，两颗下门牙，吃东西时下巴左右动。
- 耳朵特别长，可以转动，灵敏地收听四方的声音。

● 白兔的眼球没有任何颜色，显现出来的红色是血液的颜色。至于黄、黑色的兔子，以及住在高山上的雪兔，它们的眼球有黑色素，所以看起来呈黑色。

● 野兔的毛色在冬天时比夏天淡一点儿。雪兔夏天时是黄褐色，还有一些细细的点子；到了冬天，则除了耳尖之外，全身像雪一样白。

# 动若脱兔

注释：脱兔，被捆绑而逃脱的兔子。

用法：形容人的动作非常灵活快速。

嘿，欣赏风景哪！

要不要看
我表演啊？
怎么样？
跳得很高吧！
哈！看我等一
下怎么抓你！
我的腰很软，
但很有力量。
好好玩儿哦！
机会来了。
跳

兔子的身体非常柔软，后腿强而有力，个子又不太大，所以，跳、蹬或跑都非常灵活。往往，它被人用双手捉住了，都还能借身体的扭动，脱出人的掌握。因此，行动矫捷就用『脱兔』来形容。

## 动物小档案

● 兔子的后脚大约比前脚长 2 倍，强劲有力，很能跳。跑或跳的时候，后脚会伸到前脚的前面，再往后一用力，身体便快速地向前冲出去了。

● 会吃自己的粪便。这种粪便是第一次排泄出来的盲肠粪，软软黏黏的，有丰富的蛋白质及维生素 $B_{12}$，还有一些可以帮助消化的细菌。兔子吃下盲肠粪后，第二次排泄出来的就是我们所见到一粒粒圆圆小小的硬粪，这种粪它就不吃了。

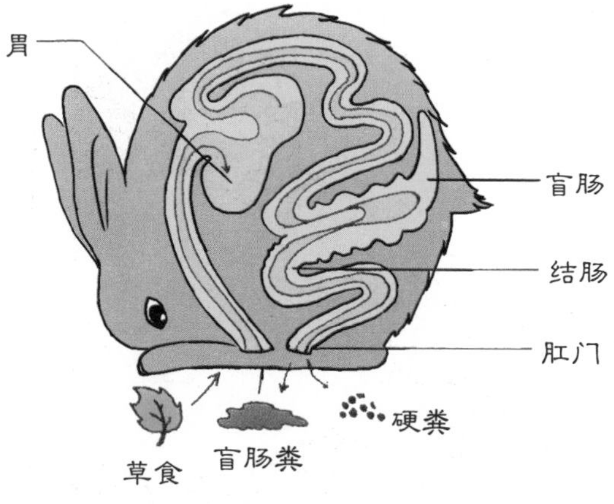

# 人怕出名猪怕壮

用法：表示名气大的人常会遇到一些令其困扰的事。

王员外是出了名的大富翁。
家里有数不清的金银财宝。

还有一大片良田。
这些地全部是我的。

山贼头子派了小喽啰，下山来打探消息。
员外明天过六十大寿。
原来如此！

大王，明天正是下手的好机会。
嗯！

就杀这头最壮的吧！

猪最大的用途就是供给人类肉食，而且要养得又大又壮，肉量才多。通常，卖猪、杀猪都是选最壮的那头。就像小偷、强盗决定下手的对象都是家产丰厚的人一样。所以，财富虽好，但那些因财富而招惹来的麻烦却令人困扰。

寿宴的场面好热闹，席开百桌。
山大王突然出现了。
听说你很有钱，五千两黄金拿来。

## 动物小档案

● 猪喜欢在烂泥里打滚，原因有二：一是因为猪缺乏汗腺，很怕热，而泥水中的水分可使体温下降。二是因为猪身上常被许多小虫叮着，当全身的烂泥干了之后，这些被干泥盖在下面的虫便会窒息而死。所以猪玩泥水不是爱脏，而是为了健康。

● 猪的用途很多，除了食用之外，毛可制牙刷或刷子；皮可制皮衣、皮鞋和皮包；脂肪可做蜡烛或肥皂；粪便所产生的沼气，可做燃料；心瓣膜还可移植到人体内，代替人类的心瓣膜。

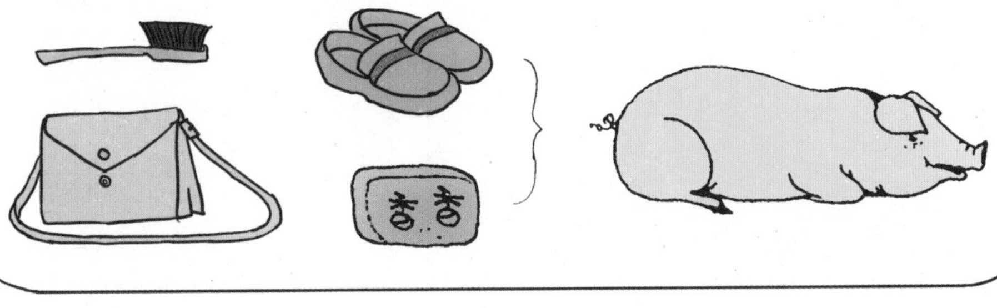

# 狼狈为奸

注释：狈，动物名。

用法：比喻两个人一起做坏事。

狼和狈是好朋友，常在一起做坏事。

走，抓羊去。
哇，太棒了！

栅栏太高，跳不过去。

有办法了。你骑在我背上。

真的可以啊！
你真聪明！

这只羊最肥。

哈哈！又可以
饱餐一顿了。

狈长得很像狼，但前脚短，后脚长，走路不方便。所以常攀附在狼的背上一起行动。据说狈非常聪明，常出坏主意，和狼一起去做坏事。因此，说两个人在一起不做好事时就用『狼狈为奸』来比喻。

## 动物小档案

一般狼的尾巴都下垂。

只有领袖狼的尾巴竖起。

● 狼属于哺乳纲 · 食肉目 · 犬科。

● 狼和狗长得很像，但是狼的毛较长、较粗，脖子周围的毛竖起来，耳朵也竖立。爪子钝而长，没有什么功能。猎食时靠的是灵敏的嗅觉和锐利的牙齿。

● 吃不完的食物，会挖个洞埋藏起来，等没有东西吃的时候，再挖出来吃。

# 杯盘狼藉

注释：狼藉，本来是指狼睡过的草堆总是乱七八糟，后来就用来形容凌乱的样子。

用法：形容宴席过后，杯盘碗碟散乱的情景。

听说刘员外的儿子中了进士，要好好庆祝一下呢。
对呀！要摆一百桌酒席呢！

大家赶快去吃一顿啊！

员外家早已聚集了很多人，等着大吃大喝。

员外，恭喜！恭喜！
谢谢！请里面坐。

菜好，酒更好！
酒

剪刀!
布!
再来一杯，
我没醉。
乱七八糟!

狼为了安全，喜欢找隐蔽的山林旷野筑窝。而山林旷野多杂草，地面又高低不平，所以狼睡觉的时候一定要在草上来来回回踩踏一番。因此，狼睡过的地方草总是被踩得乱七八糟。而酒宴之后，杯盘碗筷散了一桌一地的情景正像被狼踩踏过的草堆一样。

## 动物小档案

● 狼不比狮子、老虎凶猛，但是，它那狡猾的神情和凄厉的叫声却令人不寒而栗。同时，狼的凶残和贪婪，也是动物中少有的。如果有同伴受重伤或者死亡，它们不但不哀伤，反而会把同伴吃掉。

● 母狼要生小狼的时候，会选一个视线较广阔，便于监视外界的干燥高地，作为筑洞穴的地点。地点选定之后，便用前脚不断地扒土，挖出一个洞穴，然后在洞里生产。

# 引狼入室

用法：比喻自己招惹祸事。

天色将暗，一个农夫正赶路回家。
咦？

嘿，你好。今晚借住你家好吗？

好啊！
谢谢！这是一点儿小意思。

到家了。

是呀！
你养那么多羊啊？

狼在山林动物中，是出了名的阴狠狡诈。譬如《七只小羊》《小红帽》《大野狼和三只小猪》等童话故事中，狼都利用骗术达到猎食的目的。因此，把像狼一样阴险、凶悍的人带到家里来是多么危险的事啊！

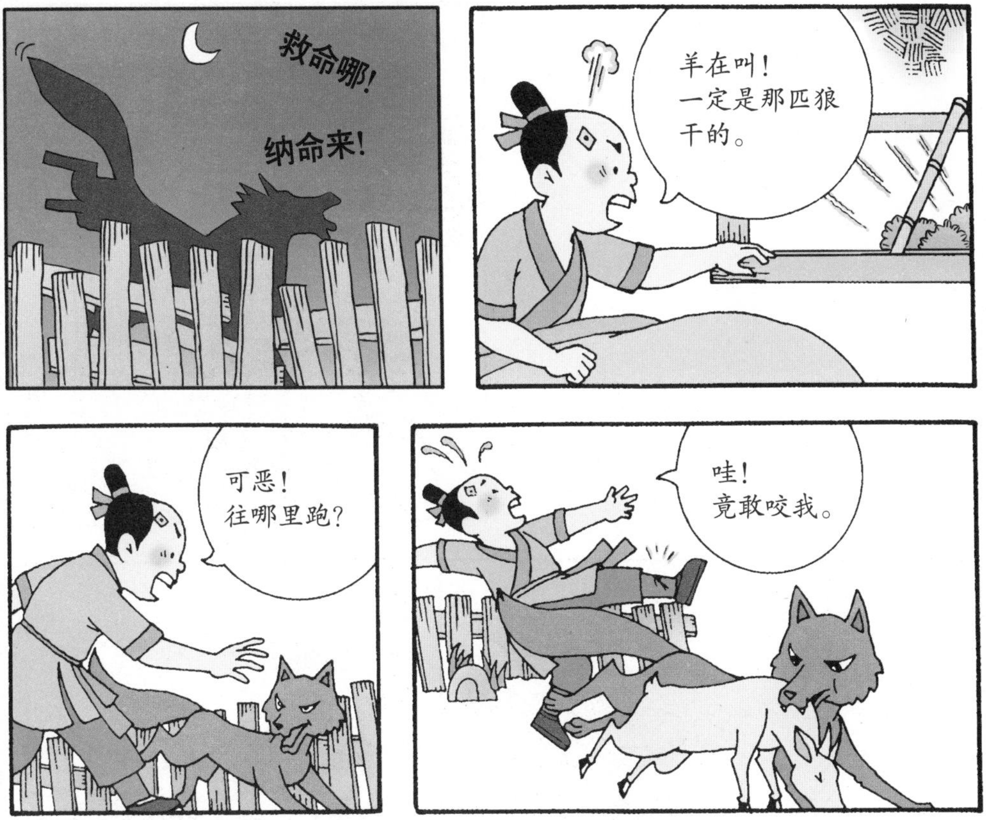
救命哪!
纳命来!
羊在叫！一定是那匹狼干的。
可恶！往哪里跑？
哇！竟敢咬我。

## 动物小档案

● 大部分的狼是过着有组织的团体生活，每个狼群都有一个强壮有力的领袖。它们在石缝或树丛上撒尿，作为势力范围的界限，别的狼群不得越界，然而，也有极小部分的狼是雌雄一对或者单独生活的。

● 外出猎食时，通常都是由领袖带领雄狼，运用战术，击倒猎物。像麋鹿那样大的动物，也逃不过狼群的攻击。

● 狼的牙齿很锋利，力量非常大，可以撕裂任何动物。

● 耐饿力很强，一星期不吃东西也没关系。

# 老马识途

注释：途，道路。

用法：比喻一个人对某件事很熟悉，而且经验丰富，可以引导别人。

春秋时，齐桓公率兵攻打孤竹国。宰相管仲随行。

这场战争打打停停，从春天一直打到冬天。
班师回朝去吧！
严冬……
寒风凛冽，飞沙走石……
糟糕，我们迷路了！

别急。把军队里的老马牵出来。

管仲把几匹马放了，让它们自己走。
只见老马信心十足地往前走。

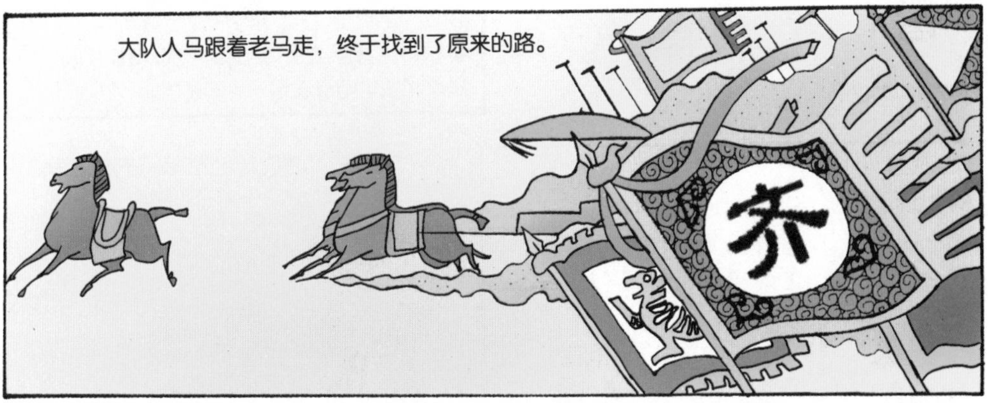
大队人马跟着老马走，终于找到了原来的路。
齐

马有一种本能——认路。特别是老马，走过的路绝不会忘。而有些观察力敏锐、经验丰富的人，就像老马一样，可以指导前进，教他们找出正确的行事方法。

## 动物小档案

- 马属于哺乳纲·奇蹄目·马科。
- 马的种类可分为阿拉伯马和蒙古马两大系统。阿拉伯马是世界各国常见的高大“洋马”。蒙古马是中国大陆常见的马，比阿拉伯马小一点儿，耐劳苦。还有一种小型的迷你马，性情温驯，可以给小孩骑。
- 马和驴交配，会生出外表很像马的骡子。

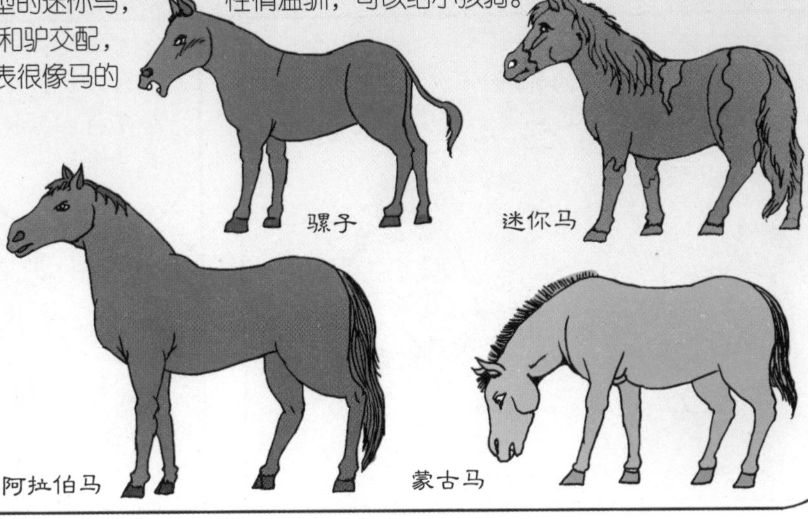
骡子
迷你马
阿拉伯马
蒙古马

# 马齿徒增

注释：马的牙齿会随着年龄的增长而增加，所以用马齿比喻年龄。

用法：对人谦虚地说自己年纪渐长，却没有什么成就。

晋
虞
虢
春秋时，晋献公要讨伐小国虢国。但是晋和虢中间隔着另一小国虞国。

大臣荀息献计……
可以用宝玉、良马作为向虞国借道的交换条件。
好！

于是，荀息带着宝玉、良马前往虞国。

虞国大夫宫之奇，一直劝虞君：
大王，千万别收晋国的礼物，也不可以答应晋国借道的事。否则……
可是……

好美呀！我才舍不得宝玉和良马呢！
虞君答应了晋国的条件。

马和牛的牙齿都会随年龄的增长而增加，这里用『马』，是因为这则成语的典故中，出现的是马而不是牛。原文为『马齿加长』——马齿多长了几颗，表示『过了几年』的意思。后来演变为『马齿徒增』——徒然地增长了牙齿，表示白白地过了几年，却没有什么成就。

晋献公通过虞国，很快消灭了虢国。
虢国被灭，虞国孤立了。之后，晋献公率兵，轻而易举地灭了虞国。
晋
我们晋国的宝玉、良马放在哪里？
大王，宝玉和良马都还在。只不过马的牙齿多长了几颗而已。
很好！很好！


## 动物小档案

● 马的牙齿数目随着年龄的增长而增加，一岁时有12颗牙齿，六岁时公马有40颗牙齿，母马有36颗牙齿，这时便算是长齐了。八岁时，下门齿已明显地磨损，根据门齿磨损的程度，可得知马的年岁。公马有犬齿，母马没有。

● 马很容易被一个突然的动作或突来的声音所惊吓。自卫的方法是：遇到危险就跑开；跑不掉时，会用强而有力的牙齿去咬对方，或者用强劲的后腿踢敌人。

# 老骥伏枥

注释：骥，千里马；枥，马槽。伏枥，就着马槽吃食。老的千里马虽然趴在槽头吃食，但仍想奔驰千里。

用法：比喻一代豪杰虽然年纪大了，却仍然雄心万丈，胸怀壮志。

大将军骑上千里马，英姿焕发。
大将军爱极了这匹千里马。

多吃草，才会长得壮。

将军多次奉命出征。
冲啊！

神勇的将军常打胜仗。
多亏了你，我们又大获全胜。

但是，岁月匆匆，将军老了，马也老了。

有一天……
将军，你解甲回乡去养老吧！
可是，我们都还很健壮啊！
在乡下老家……
如果让我们再战，一定不比当年差。

千里马，一生驰骋在大草原上，就像雄才大略的豪杰，出生入死于战场。广阔的天地、伟大的志业，才能展现出他（它）们生命的光彩。即使他（它）们年纪大了，但常年培养出来的坚毅性格和高远壮志，也是不易改变的。

## 动物小档案

● 马蹄是单蹄，跑得很快。马的听觉、嗅觉、视觉也很好。

● 从前，马一直是战争的主要“工具”。所以，马的好坏也是决定战争胜败的因素之一。

● 马除了可以拉车搬运东西、耕田种地之外，还可以用来打猎、击球、表演马戏以及赛马。

# 顺手牵羊

用法：比喻乘机偷取别人的东西。

刘老爹和儿子在院子里聊天……
咦，那是谁家的羊？

哈，晚上可以加菜啰！
爹，不可以这样。

老刘，出来！羊还我。

我明明看见羊走进你家。
什么羊？我不知道呀！

王叔叔，
是这只羊吗？
哈，一点儿
也没错。
是我爹把
它留下的。
可恶！你怎
么可以偷人
家的羊？
我只是顺手
而已嘛！

羊是一般家养的牲畜之一，性情温驯，不是主人也可以接近它。如果是山羊的话，因为喜欢单独行动，所以，想要顺手把它牵走，就更容易了。

## 动物小档案

● 羊属于哺乳纲·偶蹄目·牛科。

● 常见的有山羊和绵羊。

● 山羊长有胡须，体形瘦而有劲，毛粗而直。行动敏捷，善于跳跃，喜欢独自觅食，吃汁液很多的树叶。

山羊

绵羊

● 绵羊没有胡子，身体圆滚滚的，毛长得很密而且卷曲。行动缓慢又胆小。

● 山羊的产乳量比绵羊多一倍。

● 羊乳的养分和牛乳差不多，但是比牛乳更容易消化。

# 羝羊触藩

注释：羝羊，公羊。藩，篱笆。

用法：比喻所处的情势困窘，进也不是，退也不是。

有一只自大的公羊。
瞧！我的体格怎么样？

头上这两只角够棒吧？

喂，你敢不敢跟我比武？

一场好戏上演了……
比就比啊！

羊角多是呈某种弧度向后弯，一旦不小心连头带角卡进篱笆的间隙里，往后拉正好与角的生长方向相反，一定拉不出来，向前推身体又比头大，根本动弹不得。这种情况和『势成骑虎』相似，困窘极了。

冲啊！
碰！
由于冲太快，公羊一头冲进篱笆间隙。
哇！
它拼命往后拔，但是角被卡住了。
哎哟
再往前推……
身体太大了。
进不得，退不得。怎么办？

**动物小档案**

● 剪羊毛必须由有经验的人来做，手剪、电剪都可以。剪时要谨慎，以免伤到羊的皮肤；同时要避免毛片撕开。

● 羊毛加工后，可做毯子、衣服、窗帷等，有的还可以做假发。而羊毛脂可制成化妆品。

# 羚羊挂角

注释：羚羊，体形有点儿像鹿，又有点儿像山羊。挂角，以角当钩子，把自己挂起来。

用法：常用来形容诗文中用字遣词流畅超脱，丝毫没有造作的痕迹。

深山里，三只羚羊
悠闲地吃着草……

突然，冲出一只老虎。
吼

羚羊飞也似的不见了踪影。

哼！你们跑不掉的。

羚羊的角和鹿角不一样，羚羊角不分叉，且种类不同，角的形状、大小也不同。有一种羚羊的角，呈很美的弧度向后弯，可以当钩子用，用起来还相当利落。所以用『羚羊挂角』形容诗文的美好，的确是非常灵活的联想。

怎么办？
快点儿想办法。
有了，大家照
我的话做。
羚羊用角把身体挂在树枝上……

## 动物小档案

● 羚羊属于哺乳纲·偶蹄目·牛科。

● 体形有点儿像鹿，又有点儿像山羊，跳得又高又远，姿势非常优美。跑起来速度很快，又可以跑很长的时间。

● 喜欢一大群地生活在一起。

● 和牛、鹿一样，会反刍。

● 角一辈子只生长一次，角里面是空的。羚羊角虽然不分叉，但是形状、大小的变化很多。

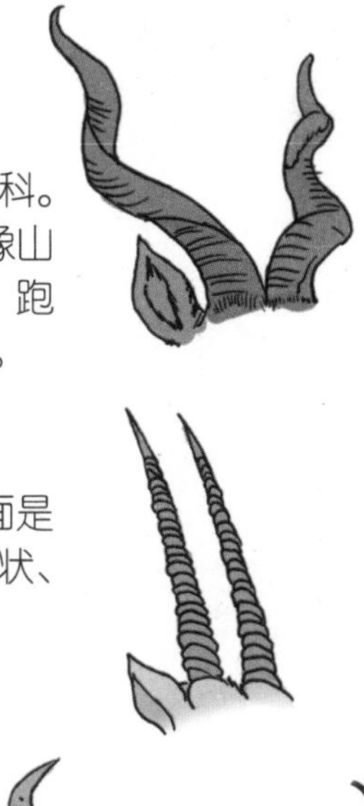

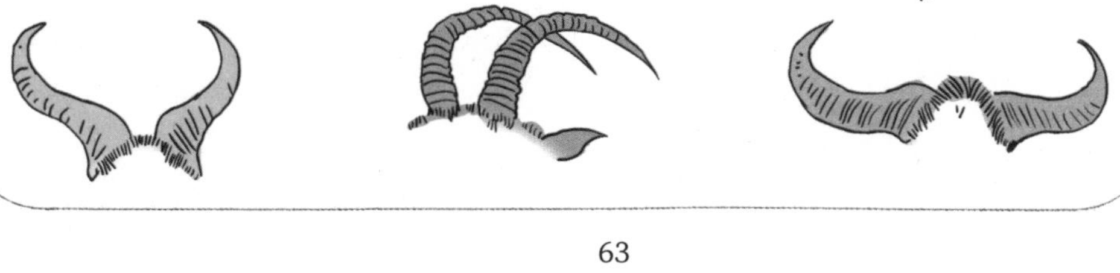

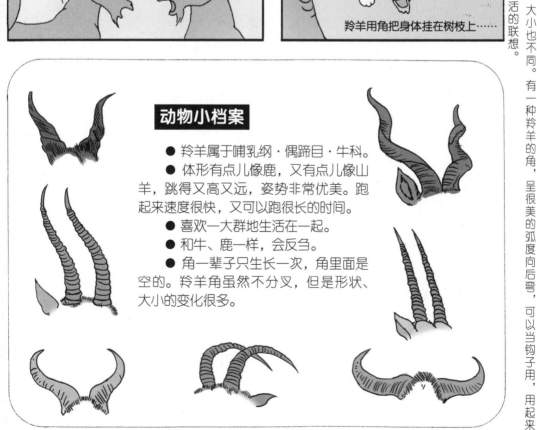

# 歧路亡羊

注释：歧路，路旁岔出的小路。亡，遗失。

用法：比喻人研究学术，如果不能专一，便容易误入歧途。

糟糕，我的羊不见了。

大家快来帮忙啊！

没找到羊……
杨子是大户人家，有很多仆人。我们去他家，请他帮忙。

杨先生，开门哪！

请您派人帮我找羊。

找羊的人，不是已经很多了吗？
为什么还是找不到呢？
因为，岔路太多了。
杨子派去找羊的人回来了。
羊找到没？
没有，跑掉了。
怎么会呢？
因为岔路中又有岔路，不知从何找起。
麻烦大啦！

羊认路的本领很差，稍不注意，便走入岔路回不去了，这跟人研究学问很像，若不时时专注，便很容易偏离主题。

# 对牛弹琴

用法：比喻对很笨的人讲很深的道理，对方根本听不懂。有看不起对方的意味。

王秀才很会弹琴。

好！
连牛都喜欢
听我弹琴呢！
草真好吃！

太不给面子了。
没反应，换首激昂的吧！
这时候，突然传来一声“哞——”
是牛哥哥。
哞
哞
母牛立刻有了反应……

乳牛

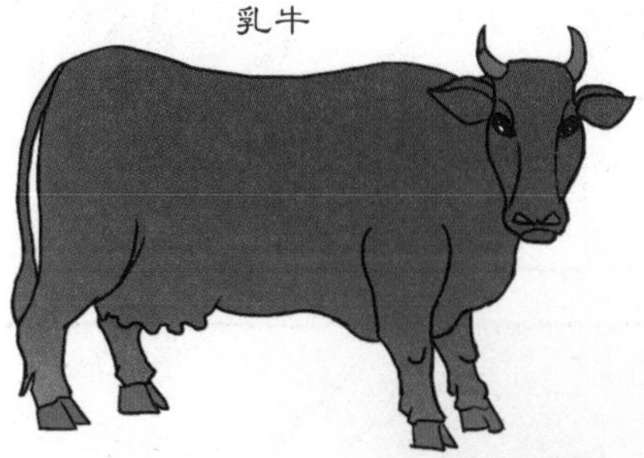

## 动物小档案

● 牛属于哺乳纲·偶蹄目·牛科。

● 依体形和用途的不同，大致可分为乳牛、肉牛、乳肉两用牛和工作用的役牛四种。

● 乳牛所产乳汁的数量和品质，与牛的年龄、体质，气候，饲料以及各种外界的影响有很大的关系。

肉牛

乳肉两用牛

人有聪明、愚钝之分，动物也是一样。动物中，狐狸、狼等算是聪明的，牛、猪则是愚笨的。当你想对愚笨的人说明一个很深奥的道理时，就像人弹琴给牛听一样，根本就是白费力气。

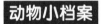

# 吴牛喘月

注释：吴牛，生长在吴地的水牛。
用法：比喻人遇到事情时过分害怕，或是不清楚实际情况，只看表面就做了错误的判断。

晋朝时，有个叫满奋的臣子，非常怕风。
冷死我了。

有一次，武帝召见他。满奋看见屏风后面有一扇窗。他想……

风很快就会吹进来了，好冷。

这窗不透风。

不信？
你去摸摸看。
哈，果然
没有风。
我就像江
南的水牛。
白天工作，
被太阳晒怕了。
晚上睡觉时，
偶然抬头，
望见圆月，
就以为是太
阳，于是开
始喘气。

## 动物小档案

● 常见的工作用役牛有水牛和黄牛。

● 水牛灰黑色，角大。非常怕热，加上毛少，容易被蚊子叮，所以喜欢在泥水中浸泡，一来可消暑，二来，等沾在身上的泥干了之后，可防蚊子咬。

水牛

● 黄牛黄褐色，毛多，角小。由于肩部凸起，所以很适合拉车。同时，又耐热，多用来耕作旱田。

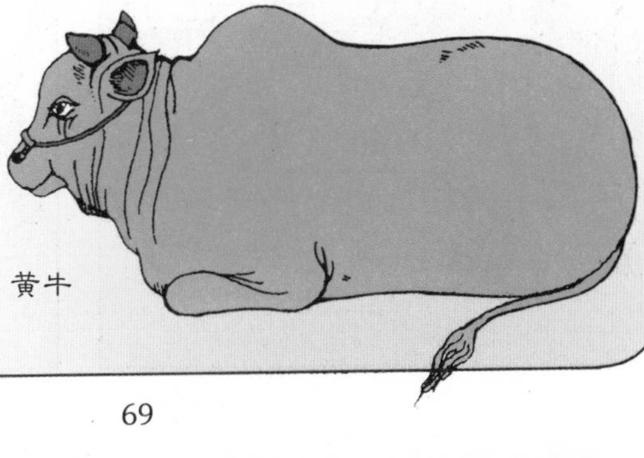

黄牛

水牛由于皮厚，汗腺不发达，所以很怕热，平时都在水田里工作，到了夏天，更是要常常泡在河塘或池沼里降低体温。江淮一带（古代的吴地），夏天很闷热，牛为了散热，便喘个不停。这则成语正是结合了吴地的地理环境特征及水牛的特性而形成的最佳比喻。

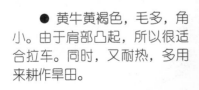

# 犁牛之子

注释：犁牛，毛色杂乱不纯的牛。
用法：比喻父亲没有出息或者总是做坏事，而儿子却力争上游、德行美善。

春秋时代，某国国君……
寡人要祭天。选一头最好的牛来当祭品。

于是，养牛人选中了一头全身红毛，两只角非常端正的牛。

这头不错，是上上之选哪！

养牛人把牛打扮一番，牵去给国君看。

太好了！它的父亲也像它一样美吗？

一般人评论做儿子的很像父亲，都说『有其父必有其子』。但是，儿子并不一定都会像父亲，有些人就是『虎父犬子』——父亲如猛虎般英勇，儿子却像小狗一样毫不出色。相反，也有父亲如毛色杂乱的犁牛，儿子却力争上游，角正、毛色纯，顶天立地，一点儿也不像父亲。『犁牛之子』含有很大的赞美意味。

不，它的父亲毛杂角歪。
嗯，我得重新考虑要不要用它来祭祀。
天神
虽然它的父亲不怎么样，但它太完美了，我还是要它。

## 动物小档案

● 大部分的牛都生长在热带及温带地区，只有牦牛生活在海拔五六千米的高原上。我国的青藏高原上就有很多牦牛。

牦牛

欧洲野牛

美洲野牛

# 泥牛入海

注释：泥牛，用泥巴做成的牛。

用法：比喻人或物一去不返，从此没有消息。

我今天要塑一头牛。

呼！完成了。
跟真的一样啊！再塑一头跟它做伴吧。
嗯，似乎有道理。
哈，不是我自夸，几乎可以乱真了。

砰 砰
什么声音？
呀！牛不见了！
回来，别打了。
完了。你们是泥牛，一泡水就会散掉的。

捏泥巴是乡下小孩常玩的游戏，而牛几乎是家家都养的重要耕田牲口，所以农家孩子捏个泥牛再平常不过了。但泥土溶于水，把泥牛放进水里它会立刻溶化沉入水底。那么一个人或一件事断了消息，不就像把泥牛丢进大海里立刻消失得无影无踪一样吗？

## 动物小档案

● 牛有四个胃。吃东西时总是稍微嚼一下就吞到第一个胃（瘤胃），瘤胃里的细菌会使食物发酵，其中一部分到第二个胃（蜂巢胃）。等到休息或方便的时候，再把食物一点儿一点儿吐出来嚼碎，重新吞下，经过第一、二个胃，到第三个胃（重瓣胃），或直接由第三个胃转到第四个胃（皱胃）。瘤胃是四个胃中最大的，而皱胃是会分泌消化液的真胃。

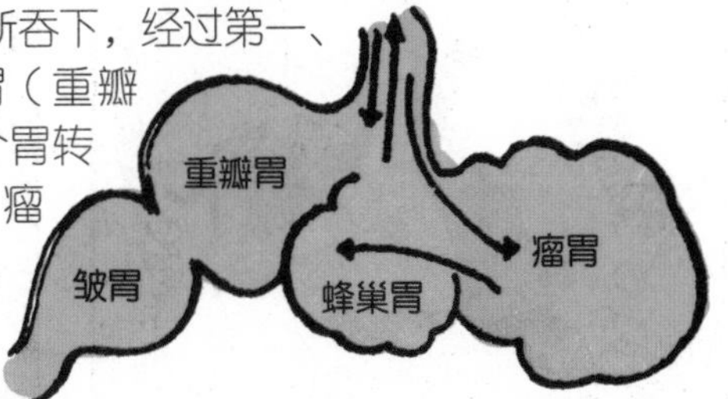
重瓣胃
瘤胃
皱胃
蜂巢胃

# 九牛一毛

用法：形容很大或很多的整体里面的一小部分，根本不值得重视。

半年没下雨了……

田地干裂，农作物枯死，人们啃树皮……
这个大富翁的仓库里，却堆满了稻米。
好吃！好吃！
还有吃不完的鸡鸭鱼肉。

老爷，可怜我们，拿包米出来救灾吧！
不行！拿出一包米，我就少一包了。
一包米对您来说，就好像九头牛身上的一根毛而已。
告诉你，即使是拔一根毛，都会使我心痛不已。


几乎所有的动物都长了一身毛，不过，牛的身躯较大，毛当然就多了。而且还不止一头。中国古代，『九牛』未必真的指九头牛，而是『多头牛』的意思。那么在数都数不清的牛毛里拔出一根，根本是微乎其微。但就有人拥有千万元，却不肯拿出一元钱来做善事，这种情形就是『九牛一毛』。

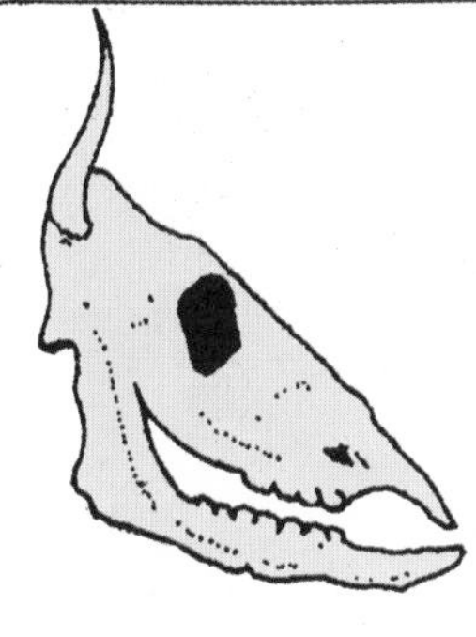

**动物小档案**

- 要知道牛的年龄，可观察牛的牙齿。牛的牙齿数目随着年龄的增长而增加。
- 牛长期只使用臼齿咬东西，所以，上门齿和上犬齿退化了，只剩六颗臼齿。但门齿和犬齿的部分，形成很坚硬的齿板，可以切断草料。
- 牛的舌头宽而尖，而且很硬。不仅能卷起饲料，还能在咀嚼的同时，把饲料磨碎。

# 盲人摸象

用法：比喻所得到的知识非常有限，未能全盘了解。

六个盲人在一起聊天，
聊啊聊，聊到了大象……

听说大象是陆地上最大的动物。
不知道大象长什么样子？

他们一定要知道大象的长相，于是，一起去“看”大象。
抱抓
拍推
摸捏

哈！我知道了，象长得像萝卜。
才不是呢！我认为象长得像畚箕。
不对！象应该像木臼。
谁说的？象明明长得像床嘛！
我说，象跟大水缸一样。
你们都错了，象长得像绳子。
他们吵起来了。
你胡说八道！
你岂有此理？
啪

象在哺乳动物里相当特殊，它的鼻子、耳朵、门牙、腿、腹、背都庞大而且与众不同。难怪盲人会为它的长相争论不休。不过，问题的根本还是在于盲人看不到象的全貌，却又固执己见。其实，明眼人有时对某些事的看法，也和盲人一样，只知其一，未能全盘了解。所以，大家务必小心了，别『盲人摸象』啊！

## 动物小档案

● 象属于哺乳纲·长鼻目·象科。

● 是陆地上体形最大的动物。有亚洲象与非洲象两种。

● 长长的鼻子是象的特征。象鼻包括了上唇和鼻子，没有骨头，主要由肌肉构成，嗅觉敏锐。鼻子前端有一或两块像手指一样突出的肌肉，触觉灵敏，可以抓住极小的东西。象鼻的功用很多，可以喝水、洗澡、搬东西或打架。

● 长长的象牙就是象的门齿，会不断地生长，可以用来挖掘食物，或是当作攻击敌人的武器。象吃东西时用臼齿，上下左右各一颗，磨损之后，会长出新的臼齿，旧齿则自然脱落。象一生大约会换 7 次臼齿。

● 皮肤又厚又干，长有稀疏的毛。由于没有脂肪层，所以不能御寒。

● 四条腿像柱子一样粗壮，脚底有像海绵一样的软垫，脚举起时变小，落地时变大，很适合走泥泞的路。前后脚的蹄数不同。

● 成群地生活，由一头年长的雌象当领袖。

● 喜欢泡水，因为泡水既清凉，留在身上的泥巴还可防止蚊虫叮咬。

吸水来冲凉。

潜水的时候，当潜水管。

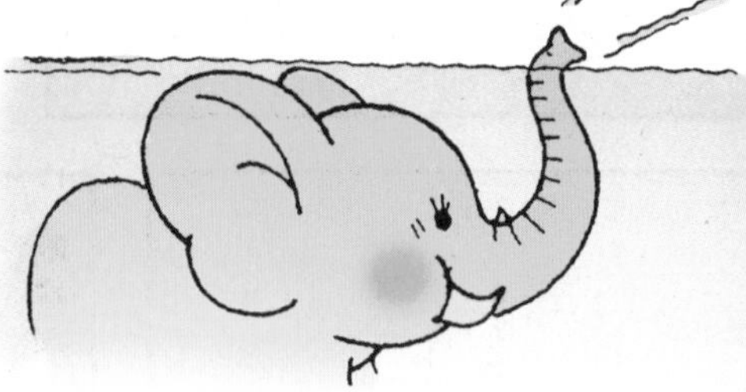

吸水来喝。

抓痒。

打架。

搬运重物。

# 亚洲象与非洲象的不同

## 亚洲象（又名印度象）

身高 2.5 ～ 3 米。
全长 5.5 ～ 6.4 米。
体重 4 ～ 5 吨。
背部较高。

额部中间凹下，两边隆起。
耳朵小，呈三角形。
鼻尖只有上部突出。

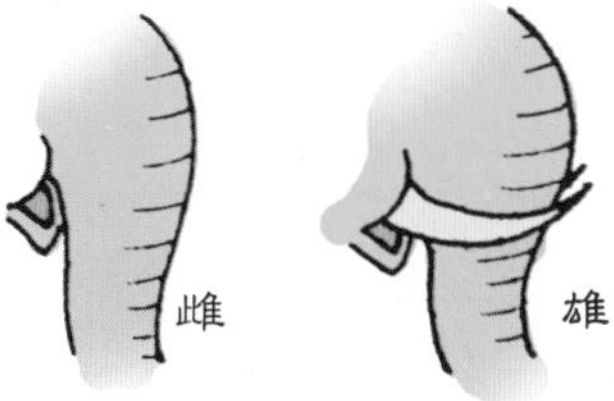


上门牙比较短，光泽也比较差。雌象的门牙更短，没有露在外面。下巴长而下垂。

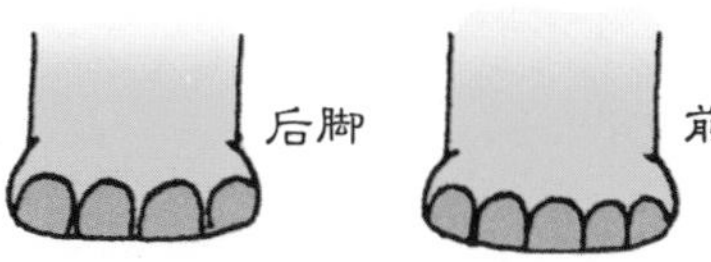


前脚有 5 蹄，后脚 4 蹄。

## 非洲象

身高 3 ～ 4 米。
全长 6 ～ 7.5 米。
体重 4 ～ 6 吨。
胸及腰的部分较高。

额部突出。
耳朵大，呈圆形。
鼻尖上下突出两块。

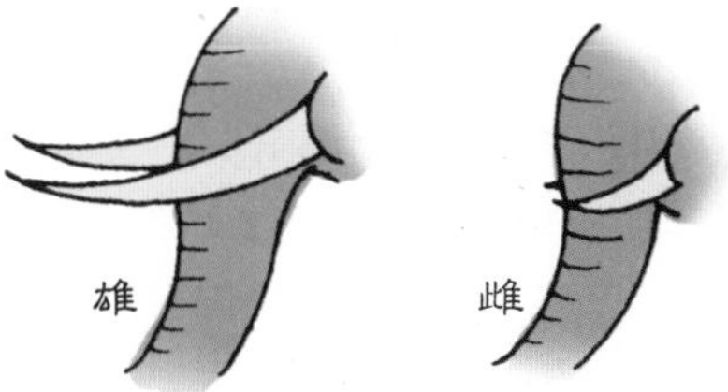


上门牙比较长，光泽也较好。雌、雄的门牙不一样长。下巴不下垂。

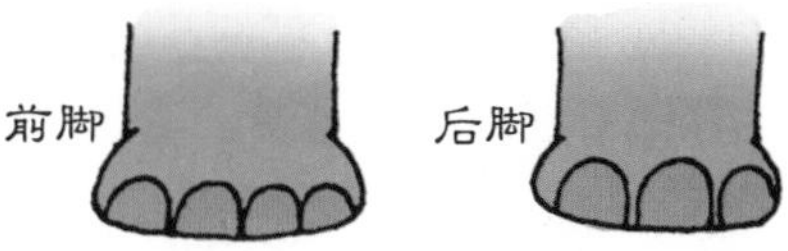


前脚有 4 ～ 5 蹄，后脚 3 ～ 4 蹄。

图书在版编目（CIP）数据

成语动物园：全4册 / 牛顿编辑团队著绘. — 哈尔滨：哈尔滨出版社, 2019.6
（写给孩子的成语故事）
ISBN 978-7-5484-4453-4

Ⅰ.①成… Ⅱ.①牛… Ⅲ.①汉语—成语—故事—青少年读物 Ⅳ.①H136.31-49

中国版本图书馆CIP数据核字(2018)第286852号

书　　名：成语动物园 1
CHENGYU DONGWUYUAN 1

作　　者：牛顿编辑团队 著/绘
责任编辑：赵 芳 马丽颖
责任审校：李 战
装帧设计：柯 桂

出版发行：哈尔滨出版社（Harbin Publishing House）
社　　址：哈尔滨市松北区世坤路738号9号楼　邮编：150028
经　　销：全国新华书店
印　　刷：河南瑞之光印刷股份有限公司
网　　址：www.hrbcbs.com　www.mifengniao.com
E-mail：hrbcbs@yeah.net
编辑版权热线：（0451）87900271　87900272
销售热线：（0451）87900202　87900203
邮购热线：4006900345（0451）87900256

开　　本：787mm × 1092mm　1/16　印张：22　字数：120千字
版　　次：2019年6月第1版
印　　次：2019年6月第1次印刷
书　　号：ISBN 978-7-5484-4453-4
定　　价：96.00元（全四册）

凡购本社图书发现印装错误，请与本社印制部联系调换。
服务热线：（0451）87900278